Lili rêve d'être une femme

Série dirigée par Dominique de Saint Mars

Imprimé en Italie
ISBN : 978-2-88480-553-7

Ainsi va la vie

Lili rêve d'être une femme

Dominique de Saint Mars

Serge Bloch

Lili, Lili,
attends-moi !

Tu n'aurais jamais dû l'embrasser, ton amoureuse...Tu vas voir, elle va te demander en mariage à ta sœur !

Lili, tu trouves pas que j'ai changé ?
Non, Juliette. Pourquoi ?

S'il te plaît, Lili,
regarde-moi bien,
bien, bien...
Vraiment, je ne
vois rien !
?

Ça se voit pas que...
que je suis devenue
une femme ?
Nous le sommes
dès la naissance,
ma petite Juliette !

Moi, je le suis vraiment
que depuis hier.
T'es une
femme...
depuis hier ?
!?

T'as déjà embrassé un garçon... sur la bouche... et avec la langue ?
Euh... évidemment !

Donc, toi aussi, t'es une femme !
Pour toi, on devient une femme quand on a embrassé un garçon avec la langue ?

Évidemment !

Et après... après...
t'as pas eu peur de...
tomber enceinte ?
Quoi ?! Tu ne sais
pas encore, à ton âge,
comment on fait
les bébés ?

C'est pas comme ça...?
C'est pas avec la langue
qu'on fait les bébés,
Juliette ! C'est avec le zizi
et la zézette !

* Retrouve comment Max sublime, c'est-à-dire transforme, ses pulsions sexuelles dans *Max ne pense qu'au zizi.*

Papa, est-ce qu'on devient un homme après avoir embrassé une fille sur la bouche ?
Euh... évidemment !

Vous ne trouvez pas que, depuis hier, Max fait très HOMME...?!
Ah !?

Euh... tu veux dire que mon petit Max a embrassé une fille ?
J'ai pas dit ça !

Et pour les femmes, c'est pareil ? Un baiser, ça suffit ?
Évidemment !
Pour devenir un homme, c'est peut-être suffisant !...

Mais nous, les femmes, nous sommes des êtres beaucoup, beaucoup plus sophistiqués...
N'en crois pas un mot, ma fille ! Il n'y a pas plus sophistiqué qu'un homme !

En tout cas, on ne devient pas une femme du jour au lendemain. C'est tout un processus... un chemin... On grandit, on change... dans son corps et dans sa tête !
On peut pas l'accélérer ce... ce processus ? J'ai envie de devenir une femme tout de suite !

Qu'est-ce qu'ils grandissent vite, nos enfants, tu ne trouves pas ?
Trop vite ! C'est à cause de la télé ! de la pub ! d'Internet ! T'as vu comment s'habillent les filles, maintenant ? Beaucoup trop sexy ! En fait, les vrais coupables, c'est la société et nous !

Il n'y a pas de meilleurs parents que nous, Barbara !
Tu crois, Paul ?

Qu'est-ce que tu aimes chez les filles, Max ?
Je ne parle pas à une rapporteuse ! Je dors !

LE LENDEMAIN...
Marlène, t'as déjà embrassé un garçon sur la bouche, avec la langue ?
Non, pas encore. Et toi ?
Moi non plus.
Lili, arrête de bavarder !

Vous vous rendez compte ?! L'amoureuse de Max, cette gamine, elle se prend pour une femme !
Pas vrai !...
Pas possible !...
Si, si, je vous assure !
Être femme, ça veut dire quoi, d'abord ?
Ça veut dire s'intéresser aux garçons, Clara ! Malheureusement, eux ne pensent... qu'au foot ! Ils nous regardent même pas !

Moi, les garçons, ça m'intéresse pas de leur plaire ! Je préfère me plaire à moi-même ! Et jouer avec les filles.

Moi, je connais des garçons qui ont peur des filles...

En tout cas, c'est pas en restant entre filles qu'on va devenir des femmes !

* Retrouve l'explication des règles dans *Max et Lili veulent tout savoir sur les bébés.*

Et tu pourrais avoir un bébé ?
Oui, madame !
Et tu le nourrirais comment, ton bébé ? T'as même pas de poitrine !
Ma chère, les seins grossissent pendant la grossesse !
Ouh là là... un bébé qui grandit dans le ventre et qui sort par la zézette, ça doit faire super mal !
Mais notre corps est fait pour ça ! Ça doit être génial de donner la vie !
Pour faire un bébé, faut d'abord être grande dans sa tête, gagner sa vie et bien choisir le père !

Aujourd'hui, c'est génial d'être une femme ! On décide de sa vie ! On ne se laisse plus faire ! Tout ça grâce au combat de nos mères et de nos grands-mères !
Génial ?! Avec les règles, les grossesses, les accouchements, le maquillage, les talons hauts parce qu'il faut qu'on plaise... Et en plus les enfants, le ménage, le repassage, la cuisine ! C'est beaucoup plus cool d'être un garçon !

T'as déjà embrassé un garçon sur la bouche avec la langue ?
Déjà à la maternelle !... Tous les garçons étaient fous de moi ! J'ai toujours su plaire...
Je pourrais jamais mettre ma langue dans la bouche d'un garçon ! C'est dégueulasse... BEURK !
Mais non...
Faut pas se laver les dents, avant ?

Si tu veux devenir vite une femme, il faut que tu manges, Lili !
Je ne suis plus pressée. Avec les règles, les grossesses, le maquillage, les talons hauts parce qu'en plus, il faut qu'on plaise. Les enfants, le ménage, le repassage, la cuisine...
Les temps ont changé ! Maintenant, c'est les hommes qui font tout ! Pas vrai, Max ?!
Archi-vrai, papa !
Je rêve ! Il en reste du chemin pour une vraie égalité entre hommes et femmes !!!

Qu'est-ce que tu fais, Lili ?
27
28
29

Des pompes ! Au cas où j'aurais des pulsions sexuelles...!
Ah ?! Les filles en ont aussi...?!

Tu comprendras jamais rien aux filles, t'es qu'un garçon...
30
31
32

Pour toi, c'est plus facile d'être une fille ou un garçon ?
Une fille !
Tu te rends compte de l'énergie qu'il faut aux garçons pour draguer les filles ?! Et pour encaisser les humiliations quand on se fait jeter ?!
Et tu te rends compte de tout ce que les filles doivent faire pour plaire aux garçons... et d'abord pour se plaire à elles-mêmes !

C'est quand même pas avec un baiser qu'on devient une femme...

Qu'est-ce qu'ils ont à nous épier tout le temps, les garçons !!!
Ils sont obsédés par la zézette parce qu'elle est bien cachée... pas comme leur zizi !
C'est des obsédés sexuels, les garçons ! Mais c'est pas de leur faute, c'est leur nature ! Ils ne pensent qu'à ça...

C'est quoi, « ÇA » ?
Faire l'amour, le zizi dans la zézette, t'as pas lu dans les livres ?
« ÇA » fait pas mal... ?
Mais non, c'est un plaisir fou paraît-il. Encore plus pour nous, les filles, qui avons deux zézettes en une !
Deux zézettes...?!
Deux zézettes...?
?
?

Mais oui ! T'as pas lu
dans les livres ! Le clitoris
à l'extérieur et le vagin
à l'intérieur. On t'a rien
expliqué ?
Pfft...
Si tu crois
qu'on savait
pas...
Nous, les filles, on a vraiment
de la chance avec notre
zézette secrète,
mystérieuse,
extraordinaire !
Il n'y a pas
que les garçons
qui sont des obsédés
sexuels. Pas vrai,
Valentine !...

J'ai décidé de ne plus m'intéresser aux garçons ! Je vais sublimer mes pulsions sexuelles en travaillant beaucoup et en faisant du sport !

Euh... finalement, j'ai changé d'avis ! J'ai décidé d'embrasser Hugo !
BEURK...!
Il n'y a pas plus timide qu'Hugo ! Tu n'y arriveras jamais !
On parie ?
...Notre poids en chocolat !
Hugo, j'ai rien compris aux maths aujourd'hui. Tu veux bien m'aider pour les devoirs...
OK ! Je préviens maman, et je viens chez toi.

J'ai été une sœur méchante ces derniers jours, Max. J'ai envie de me faire pardonner !
Tiens, je t'offre une glace ! Invite Juliette !

Tu t'occupes pas assez d'elle ! Vas-y avant que Mamie n'arrive !

UN PEU PLUS TARD...
Bonjour madame, est-ce que Lili est là ?

Lili, c'est moi !

Hugo... As-tu déjà embrassé une fille... comme au cinéma ?
Euh... on devait pas faire les maths ?
?
!?

mmh!..
mmh..

Hum, hum...
Ah, bonjour Mamie ! On travaille les maths avec Hugo !
TOC TOC

* Extrait du poème *Le lac* écrit par Lamartine.

Je n'ai pas parlé à tes parents de ta nouvelle méthode pour apprendre les maths ! Ils risqueraient de ne pas comprendre !
Merci, Mamie... C'est vrai qu'ils sont un peu vieux jeu !
Tu sais, moi, à ton âge, je n'osais même pas regarder les garçons dans les yeux...
C'est vrai... ?!
Je ne savais pas que mon corps était à moi et qu'on n'était pas obligée d'obéir... Ce garçon ne t'a pas forcée, j'espère ?!
C'est MOI qui l'ai forcé ! Les garçons sont timides, surtout les bons en maths !

Lili... ça t'a fait quoi d'embrasser Hugo sur la bouche ?
Franchement... Rien !

Et toi, avec Juliette ?
Pareil.

Peut-être que c'est pas encore de notre âge...?
Peut-être...

Heureusement qu'on peut quand même être amoureux à notre âge...
Heureusement !

Ah, au fait, Max, j'ai oublié de te dire... J'ai gagné... mon poids en chocolat !
Z..

Et toi...

Est-ce qu'il t'est arrivé la même histoire qu'à Lili, ou non ?
Réponds aux deux petits questionnaires...

SI TU RÊVES DE DEVENIR UNE FEMME...

Tu en as marre d'être enfant ? Tu veux être comme ta mère ? Ou une femme que tu admires ?

Pour toi, être une femme, c'est quoi ? Avoir des seins ? Se maquiller ? Porter des talons ? Se marier ?

As-tu envie d'être une maman ? Aimes-tu t'occuper des bébés ? Soigner ? Jouer à la poupée ?

Fais-tu attention à tes habits ? Pour te plaire ? Pour plaire aux garçons ? Te fait-on souvent des compliments ?

As-tu un amoureux ? Si un garçon te plaît, tu le lui dis ou tu fais tout pour qu'il te remarque ?

Sais-tu comment ton corps va se transformer ? L'as-tu appris par tes parents ? Tes copines ? Des livres ?

Si tu ne rêves pas de devenir une femme...

Tu trouves que c'est bien d'être enfant ? Tu as peur de grandir ? D'avoir tes règles ? D'être enceinte ?

As-tu un mauvais souvenir ? Un enfant, ou un adulte, t'a forcé à faire quelque chose qui t'a gênée ?

On s'est moqué de toi ? Tu n'as pas confiance en toi ? On ne te fait pas de compliments ? Tu ne t'aimes pas ?

Tu penses qu'aucun garçon ne s'intéressera à toi ?
Tu vis des histoires d'amour imaginaires ?

La sexualité ne t'intéresse pas ? Ce n'est pas de ton âge ? C'est mal ? Sale ? Ça t'énerve qu'on en parle ?

Tu n'aimes pas ton sexe ? Tu n'es pas contente d'être une fille ? Tu préférerais être un garçon ?

SPÉCIAL GARÇONS

Trouves-tu que les filles sont des obsédées sexuelles ? Ça t'amuse ? Ça te gêne ? Ça t'intimide ?

Tu penses à ton zizi ? Aux zézettes des filles ? Tu préfères draguer les filles ou que les filles te draguent ?

Les filles ne t'intéressent pas ? Tu préfères jouer avec les garçons ? Faire du sport ? Travailler ?